Le secret
de la pyramide

L'auteur : Mary Pope Osborne a écrit plus de quarante livres pour la jeunesse récompensés par de nombreux prix. Elle vit à New York avec son mari, Will, et Bailey, un petit terrier à poils longs. Tous trois aiment retrouver le calme de la nature, dans leur chalet en Pennsylvanie.

L'illustrateur : Philippe Masson, né à Rennes en 1965, est issu d'une famille de marins bretons. Actuellement, il vit à Tours avec son amie et ses deux enfants, Lucas et Mona. Depuis 1997, il réalise les dessins de « Marion Duval » d'Yvan Pommaux pour le magazine *Astrapi*.

À Patrick Robbins
qui est passionné par l'Égypte ancienne.

Titre original : *Mummies in the Morning*
© Texte, 1993, Mary Pope Osborne.
Publié avec l'autorisation de Random House Children's Books,
un département de Random House, Inc., New York, New York, USA.
Tous droits réservés.
Reproduction même partielle interdite.
© 2002, Bayard Éditions Jeunesse pour la traduction française
et les illustrations.

Conception et réalisation de la maquette : Isabelle Southgate.
Illustration de couverture et illustrations intérieures : Philippe Masson.
Colorisation de la couverture ; illustrations de l'arbre, de la cabane
et de l'échelle : Paul Siraudeau.

Loi n° 49 956 du 16 juillet 1949
sur les publications destinées à la jeunesse.
Dépôt légal : mai 2002 – ISBN : 2 7470 0498 8

La Cabane Magique

Le secret de la pyramide

Mary Pope Osborne

Traduit et adapté de l'américain
par Marie-Hélène Delval

BAYARD JEUNESSE

Le mystère de la Cabane magique

Entre vite dans l'étrange cabane du bois de Belleville !

C'est une cabane **magique** avec des **livres**, beaucoup de livres...
Il suffit d'en ouvrir un, de prononcer un vœu et aussitôt te voilà propulsé dans les mondes d'autrefois.

Tu vas vivre des aventures
passionnantes !

Reste à découvrir qui est le mystérieux propriétaire de la Cabane magique...

Dans chaque livre, tu trouveras un indice qui te mettra sur sa piste. Mais attention : lis bien les quatre livres dans l'ordre !
Petit conseil : va vite à la page 75 !

À toi de jouer ! Bon voyage !

Léa

Prénom : Léa

Âge : sept ans

Domicile : près du Bois de Belleville

Caractère : espiègle et curieuse

Signes particuliers : ne manque jamais une occasion d'entraîner son frère Tom dans des aventures mouvementées, sans se soucier du danger.

Tom

Prénom : Tom

Âge : neuf ans

Domicile : près du Bois de Belleville

Caractère : studieux et sérieux

Signes particuliers : aime beaucoup
les livres, qui l'aident à se sortir
de situations périlleuses.

Résumé des tomes précédents

★ ★ ★

Après avoir exploré le monde des dinosaures et trouvé un médaillon sur lequel est gravé un « M », Tom et Léa découvrent les mystères du Moyen Âge. Ils visitent un château fort, assistent de loin à un banquet, sont faits prisonniers et atterrissent dans les oubliettes... Ils réussissent finalement à s'échapper en sautant dans les douves. Un chevalier les attend : il les ramène vers la Cabane magique. Tom découvre dans un livre un marque-page sur lequel est gravé le même « M ».

Un chat noir

– Elle est toujours là, dit Tom.

– Et il n'y a personne dedans, ajoute Léa.

Tom et sa petite sœur se tiennent au pied du grand chêne, le nez en l'air. Ils regardent la cabane, tout en haut.

Le soleil de midi éclaire le bois. Ce sera bientôt l'heure de rentrer déjeuner.

– Écoute ! fait Tom. C'est quoi, ce bruit ?

– Quel bruit ?

– J'ai entendu quelque chose, insiste Tom. Une sorte de toux.

– Moi, je n'ai rien entendu. Allez, viens,

9

on monte !

Léa empoigne l'échelle
de corde et commence
à grimper.

Tom se dirige à pas de
loup vers un buisson.
Il écarte les branches
et demande :

– Il y a quelqu'un, ici ?
Pas de réponse.

– Qu'est-ce que tu attends ? lui lance Léa. Monte ! Tout est exactement comme hier !

Tom ne bouge pas. Il a le sentiment d'une présence. Serait-ce la personne qui a déposé les livres dans la cabane ? Celle dont le nom commence par un M ? Est-ce qu'elle les observe, cachée quelque part ?

– Tom !

Un léger coup de vent agite les branches, les feuilles frémissent.

– Tom ! Tu montes, ou quoi ? s'impatiente sa sœur.

Tom revient vers le chêne et grimpe à l'échelle à son tour.

Arrivé à la cabane, il passe à travers la trappe, pose son petit sac à dos et remonte ses lunettes sur son nez.

– Bon, dit Léa, qu'est-ce qu'on choisit, aujourd'hui ?

En fouillant dans les livres répandus sur le sol de la cabane, elle retrouve celui sur les châteaux forts :

– Hé ! Il est déjà sec !

– Montre !

Tom examine le livre, très étonné. Il n'est même pas abîmé. La veille au soir, il était complètement trempé, après leur chute dans les douves du château ![1]

Tom a une pensée reconnaissante pour le mystérieux chevalier qui les a tirés d'affaire.

– Tu te souviens de celui-là ? demande Léa, en brandissant le livre des dinosaures.

– Bien sûr, que je m'en souviens ! répond Tom. Repose-le !

L'avant-veille, ce livre les a emmenés au temps des dinosaures.[2] Et Tom remercie en silence le ptéranodon. Sans la grosse bête volante, il aurait fini entre les mâchoires du redoutable tyrannosaure !

12

1. Lire le tome 2, *Le mystérieux chevalier*.
2. Lire le tome 1, *La vallée des dinosaures*.

Léa remet l'ouvrage au milieu des autres.

Soudain, elle pousse une exclamation :

– Regarde celui-là !

Elle tend à Tom un livre sur l'Égypte ancienne.

Il le prend en retenant son souffle. Un signet de soie verte dépasse d'entre les pages.

Le garçon ouvre le volume à l'endroit marqué.

L'image représente une procession qui s'avance vers une haute pyramide. Quatre grands bœufs à longues cornes tirent un traîneau, sur lequel est posé un coffre doré. Des prêtres égyptiens le suivent. Et derrière eux marche un chat noir.

– On va là-bas, d'accord ? murmure Léa.

– Une minute, je jette un coup d'œil.

– Les pyramides, Tom ! Tu t'intéresses tellement aux pyramides !

Léa a raison. Les pyramides passionnent Tom ; plus que les chevaliers, et bien plus que les dinosaures ! Et puis, au moins, on ne risque pas d'être dévoré par une pyramide !

– D'accord, dit-il, on y va.

Tom pose son doigt sur l'image de la pyramide, il s'éclaircit la gorge et déclare :

– Nous souhaitons découvrir cette pyramide pour de vrai !

À peine a-t-il fini de parler que le vent se met à souffler. Les feuilles frémissent.

– Ça marche ! s'écrie Léa. C'est vraiment super, hein, Tom !

Le vent souffle plus fort, de plus en plus fort. La cabane commence à tourner...

Tom ferme les yeux.

La cabane tourne plus vite, encore plus vite, de plus en plus vite... Elle tourbillonne comme une toupie folle. Puis tout se calme. Plus un son, plus un murmure. Tom ouvre les yeux. Un soleil brûlant l'éblouit.

Miaou !

Un chat est perché sur une feuille de palmier, juste devant la fenêtre. L'animal regarde Tom et Léa.

C'est le chat le plus étrange qu'ils aient jamais vu. Il a un corps allongé, un pelage d'un noir luisant, des yeux jaunes. Et il porte un large collier d'or.

– Le chat du livre ! chuchote Léa. Le chat égyptien !

Miaou !

Le chat miaule de nouveau, comme s'il invitait les enfants à le suivre.

2

Un mirage

En se penchant à la fenêtre, Léa constate que la cabane est maintenant perchée en haut d'un palmier. D'autres palmiers, autour, mettent une tache de vert sur le sable du désert.

Miaou !

Le chat est assis au pied de l'arbre. Ses yeux jaunes fixent les enfants.

– Bonjour, chat ! le salue Léa.

– Chut ! souffle Tom. Si quelqu'un t'entendait !

– Quelqu'un ? Ici ? En plein désert ?

Le chat se lève et s'éloigne à petits pas.
– Hé, chat ! crie Léa. Attends-nous !
Penchée à la fenêtre, elle fait signe à son
frère d'approcher :
– Viens voir, Tom !

Au milieu des sables s'élève une immense pyramide. Vers elle s'avance une procession, la même, exactement, que sur l'image du livre !

– Qui sont tous ces gens ? demande Léa.

Tom ouvre le livre et lit la légende sous l'image :

> À la mort d'une personne de sang royal, une procession funèbre l'accompagnait jusqu'à sa tombe. La famille, des prêtres et des pleureuses suivaient le sarcophage, placé sur un traîneau tiré par quatre bœufs.

– C'est un enterrement égyptien, explique Tom. Le coffre s'appelle un sar... sar..., enfin, c'est une sorte de cercueil !

– Oh ! s'exclame Léa. Le chat noir a rejoint la procession !

Les bœufs, les Égyptiens, le traîneau, le chat, tout bouge avec une étrange lenteur, comme dans un rêve.

– Je vais prendre des notes, décide Tom.

Il fouille dans son sac, il en tire son carnet, et il écrit :

Le cercueil égyptien
s'appelle un sarcophage.

– On ferait bien de se dépêcher si on veut voir la momie ! déclare Léa.

Elle se dirige vers la trappe. Tom lève le nez de son carnet :

– Quelle momie ?

– Il y a sûrement une momie dans cette boîte en or ! On est dans l'Égypte d'autre-fois, rappelle-toi !

Tom s'intéresse beaucoup aux momies. Il range son stylo.

– Moi, j'y vais, décide Léa.

– Hé, attends-moi !

– Une momie, une momie ! chantonne Léa en descendant le long de l'échelle.

Voir une momie de près ! Tom ne veut pas manquer ça ! Il fourre vite son carnet et le livre sur l'Égypte ancienne dans son sac, et il se précipite derrière sa sœur.

Ils sautent sur le sable et courent vers le cortège funèbre.

Mais il se passe une chose étrange. Plus ils approchent de la procession, plus celle-ci devient floue. Et brusquement, elle s'efface et disparaît ! Seule la grande pyramide reste là, imposante, sous le soleil écrasant. Les deux enfants s'arrêtent, un peu essoufflés. Ils regardent autour d'eux. Où sont les bœufs, le sarcophage en or, les gens, le chat ?

– Ça alors ! s'étonne Tom. Ils ne se sont quand même pas volatilisés ?

– C'étaient peut-être des fantômes...

– Ne sois pas bête ! grommelle Tom. Les fantômes, ça n'existe pas. Ce devait être un mirage.

– Un quoi ?

– Un mirage. Ça arrive souvent, dans le désert. Des choses ont l'air d'être là, mais ce n'est qu'une image fabriquée par les rayons du soleil dans l'air chaud.

Léa hausse les épaules :

– Comment des rayons de soleil peuvent-ils fabriquer des bœufs et une boîte à momie ? Je te dis que c'étaient des fantômes !

– Mais non !

À cet instant, Léa pointe le doigt et s'écrie :

– Le chat noir ! Il est là-bas !

Le chat est au pied de la pyramide, tout seul. Il a l'air de les attendre.

– Lui, en tout cas, déclare Léa, ce n'est pas un mirage !

Le chat longe la base de la pyramide, et disparaît derrière un angle.

– Où est-il passé ? murmure Tom.

– Vite, lance Léa. Rattrapons-le !

Ils partent en courant et tournent à l'angle juste à temps pour voir l'animal pénétrer dans la pyramide par une étroite ouverture.

3

La maison de la mort

– Le chat est entré là ! s'exclame Tom.

Les deux enfants se penchent vers l'ouverture. Dans l'obscurité, ils devinent un long corridor.

Des torches éclairent les murs et font danser les ombres.

– On le suit, décide Léa.

– Attends ! la retient Tom. Je voudrais voir ce que dit le livre.

Il le sort de son sac et le feuillette jusqu'à ce qu'il trouve le chapitre consacré aux pyramides. Puis, il lit à haute voix :

Les pyramides étaient aussi appelées « Maisons de la Mort ». C'étaient les tombeaux des pharaons et des membres de la famille royale, dont les corps reposaient dans les chambres funéraires.

– Bon, conclut Léa. Il faut trouver une chambre funéraire si on veut voir une momie !

Tom prend une grande inspiration, et il pénètre dans l'inquiétant corridor, laissant derrière lui la lumière et la chaleur.

Quel silence ! Les murs, le sol, le plafond, tout est en pierre. Le couloir monte en pente douce.

– Avance, Tom, le presse Léa.

– On y va ! Mais reste bien derrière moi, ne fais pas de bruit, ne parle pas, ne...

– Oui, oui ! J'ai compris ! Avance ! grogne sa sœur en le poussant dans le dos.

Tom
gravit lente-
ment la pente. Où
est-il, ce drôle de chat ? Le couloir
s'enfonce au cœur de la pyramide.
– Attends, dit Tom. Je jette un coup d'œil
sur le livre.

Il le sort de nouveau de son sac, l'approche d'une torche accrochée au mur et le feuillette pour trouver la description de l'intérieur d'une pyramide.

– La chambre funéraire est au centre, là, explique-t-il en montrant une image. C'est tout droit !

À l'intérieu
d'une pyra

Tom referme le livre, le coince sous son bras et se remet en marche.

Bientôt, le couloir cesse de monter. Une odeur de moisi et de renfermé flotte dans l'air. Tom consulte encore le livre et il déclare :

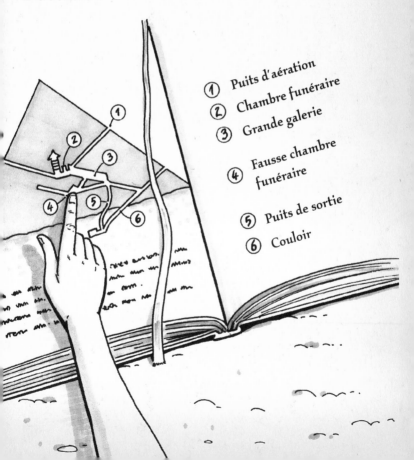

① Puits d'aération
② Chambre funéraire
③ Grande galerie
④ Fausse chambre funéraire
⑤ Puits de sortie
⑥ Couloir

– On ne doit plus être bien loin. Tu vois ce plan ? Le corridor grimpe, puis devient horizontal. Et on arrive devant la chambre !

À cet instant, un long cri résonne lugubrement entre les murs de pierre. D'effroi, Tom lâche son livre. Léa s'accroche au bras de son frère. Une forme blanche sort de l'ombre et flotte lentement vers eux. Une momie !

– Elle est vivante ! souffle Léa.

La belle Égyptienne

Tom n'a que le temps de tirer sa sœur en arrière. La silhouette blanche les frôle et disparaît dans l'obscurité.

– C'était une momie, chuchote Léa. Une momie sortie du monde des morts !

– Imp... imp... impossible, bégaye Tom. Les momies ne reviennent pas à la vie !

Il se baisse pour ramasser son livre, et aperçoit sur le sol un bâton en or surmonté d'une tête de chien sculptée.

– Oh ! s'écrie Léa. C'est la momie qui a laissé tomber ça ?

– On dirait un sceptre, murmure Tom, en observant l'objet à la lumière d'une torche.

– Un spectre ?

– Non, un sceptre. Un truc que les rois et les reines tiennent à la main pour montrer qu'ils sont puissants.

Léa se met à crier :

– Reviens, momie ! Tu as oublié ton sceptre !

– Chut ! fait Tom. T'es folle, ou quoi ?

– Mais, la momie...

– Ce n'était pas une momie ! C'était quelqu'un de vivant !

– Quelqu'un qui se promène dans une pyramide déguisé en momie ? Mais pourquoi ?

– Je ne sais pas. Je vais vérifier.

Tom feuillette le livre, et il finit par tomber sur une image qui montre une silhouette se faufilant dans un corridor. Il lit :

Des pilleurs de tombes ont souvent réussi à voler les fabuleux trésors enterrés avec les momies. Pourtant, des faux passages étaient construits pour les empêcher d'entrer... ou de ressortir !

Tom déclare :

– Voilà ! Ce quelqu'un, c'était un pilleur de tombes.

– Un voleur ?

– Oui, un voleur qui cherche un trésor.

– Et si c'est nous qu'il trouve ? On ferait peut-être mieux de s'en aller...

– Attends, je note juste un truc dans mon carnet.

Tom reprend son stylo, et commence à écrire :

Les pilleurs de tombes...

Léa le secoue par la manche :
– Tom !
– Une minute !
Il continue :

Les pilleurs de tombes essayaient de voler...

– Tom, regarde !
Le garçon sent un souffle d'air froid.
Il lève la tête.
Une silhouette s'avance lentement vers eux.
Ce n'est pas un pilleur de tombes, c'est une dame. Une très belle dame égyptienne.
Des fleurs ornent ses cheveux noirs. Elle porte une longue robe plissée et de

magnifiques bijoux d'or autour du cou et des poignets.

– Hé, Tom, chuchote Léa, rends-lui son bâton !

La dame s'arrête devant les enfants. Tom lui tend le sceptre d'une main tremblante. Et il pousse une exclamation : le sceptre est passé à travers la dame comme si son corps était fait de brouillard !

La reine fantôme

Tom reste pétrifié.

– C'est un fantôme ! souffle Léa.

La voix de l'apparition s'élève alors, comme un écho venu de très loin :

– Je suis Hutépi, reine du Nil. Êtes-vous ici pour m'aider ?

– Ben, euh…, oui, bafouille Léa.

Tom, lui, est incapable de prononcer un mot.

– Voilà mille ans que je vous attends ! soupire la reine fantôme.

Le cœur de Tom cogne dans sa poitrine à grands coups. La reine poursuit :

– Je vous en prie, aidez-moi à retrouver mon Livre des Morts !

Léa n'a déjà plus peur du tout, et demande :

– Qu'est-ce qu'il raconte, ce Livre des Morts ?

– Il contient les textes magiques qui me protégeront dans ma traversée du Monde d'En Bas.

– Le Monde d'En Bas ?

– Oui. Avant d'entrer dans l'au-delà, il me faut affronter les horreurs du Monde d'En Bas.

– Quelles horreurs ? s'informe Léa, très intéressée.

– Les serpents venimeux, les lacs de feu, les monstres, les démons...

– Oh ! fait Léa en se rapprochant de Tom.

La voix de la reine résonne tristement dans le long corridor :

– Mon frère a caché le Livre des Morts pour que les pilleurs de tombes ne le dérobent pas.

Puis il a gravé sur la pierre un message secret afin que je le retrouve.
Elle désigne le mur derrière elle.

– Ces drôles de petits signes, là ? s'étonne Léa. Qu'est-ce qu'ils veulent dire ?
Un sourire désolé passe sur le visage de la reine :
– Hélas ! Mon frère a oublié que mes yeux ne voient pas bien. Depuis mille ans, j'erre dans ce tombeau sans avoir jamais pu déchiffrer son message !
– Vous êtes comme Tom ! s'écrie Léa. Lui non plus, il n'y voit rien sans ses lunettes !
La reine fantôme se tourne vers le garçon, intriguée.

– Prête-lui tes lunettes, Tom ! ordonne Léa.
Sans un mot, Tom retire ses lunettes et les
tend à la belle Égyptienne. Mais celle-ci
recule d'un pas :

– Je ne peux pas porter tes... euh, lunettes,
mon garçon. Je ne suis qu'une brume, une
apparition ! Mais voulez-vous me décrire
les hiéroglyphes gravés sur ce mur ?

– Des iro... quoi ? demande Léa.

– Hiéroglyphes ! la reprend Tom, retrou-
vant l'usage de la parole. C'est l'ancienne
écriture égyptienne. Ça ressemble à des
petits dessins.

– Exactement, approuve la reine. Merci !
Tom remet ses lunettes, les remonte sur
son nez. Il s'approche du mur, le regarde
longuement.
Puis il soupire :

– Oh là là, c'est du chinois ! Enfin, je veux
dire... je n'y comprends rien !

Un message
sur le mur

Une ligne de minuscules dessins est gravée sur le mur. Tom explique :

– Il y a quatre petites images.

– Décris-les-moi, demande la reine fantôme. L'une après l'autre, lentement, s'il te plaît !

– D'accord.

Tom observe de près le premier dessin.

– D'abord, il y a un truc comme ça, dit-il en traçant un zigzag en l'air.

– Comme un escalier ?

– C'est ça ! Un escalier !

Bon, jusque-là, c'est facile. Tom se penche
sur le deuxième dessin.

 – Là, il y a un rectangle,
comme une longue boîte.
L'Égyptienne semble perplexe.

Léa regarde à son tour et montre
avec son doigt :
– Au-dessus du rectangle,
ça fait comme ça. On
dirait un chapeau.

– Un chapeau ? répète la reine.

– Euh…, oui. Ou peut-être un bateau.

La reine est tout excitée. Elle répète :

– Un bateau !

– Oui, confirme Tom. Ça pourrait bien représenter un bateau avec une voile !

Le visage de la reine s'éclaire.

– Bien sûr, murmure-t-elle. Un bateau !

Tom et Léa regardent le troisième dessin.

– Facile ! se réjouit Léa. C'est un vase !

– Plutôt une cruche, corrige Tom.

– Avec une anse ? demande la reine.

– C'est ça.

– Et le quatrième dessin, explique Léa, ressemble à un manche de parapluie.

– Ou à une canne trop courte ! dit Tom.

Et, comme la reine n'a pas l'air de comprendre, il ajoute :

– Attendez, je vais recopier le dessin en

grand sur une page de mon carnet, pour vous montrer !

Il pose le sceptre, qu'il tenait toujours à la main, et prend son crayon.

– Je vois, murmure la reine, quand il a fini de dessiner. C'est une étoffe pliée.

– Euh... pas vraiment...

– Si, c'est le hiéroglyphe qui signifie « étoffe pliée ».

– Ah bon, fait Tom.

Il regarde de nouveau le quatrième hiéroglyphe. Une étoffe pliée ? Ça ressemble plutôt à une serviette sur un rebord de baignoire !

– Voilà ! récapitule Léa en désignant chaque signe. Un escalier, un bateau, une cruche, une étoffe. Vous avez compris le message, madame la reine ?

Mais la reine morte ne répond pas. Légère comme une brume, elle s'enfonce dans les profondeurs du corridor.

7

Le rouleau

– Vite ! s'écrie Léa. Suivons-la ! Elle va nous mener à sa chambre funéraire !

Tom se dépêche de ranger le sceptre, son carnet et son stylo dans son sac à dos. Puis il s'élance avec Léa sur les traces de la reine. Celle-ci les entraîne au cœur de la pyramide.

Soudain, Tom s'arrête :

– L'escalier ! Le voilà !

La reine s'élève déjà au-dessus des marches. Puis Tom et Léa la voient passer au travers d'une haute porte de bois. Ils montent l'escalier à leur tour et poussent la porte. Elle s'ouvre lentement. Ils pénètrent dans une pièce froide ornée de hautes colonnes.

La reine fantôme a disparu.

La salle est immense, à peine éclairée par la lumière des torches. Partout sont empilés des tables, des chaises, des coffres et des instruments de musique. Au milieu, il y a une petite barque de bois.

– Le bateau ! s'exclame Tom.

– À quoi ça sert, un bateau, à l'intérieur d'une pyramide ? s'étonne Léa.

– C'est sans doute le bateau qui doit emporter la reine Hutépi dans l'au-delà, chuchote Tom.

Les deux enfants s'approchent de la barque. Elle est remplie de toutes sortes d'objets : des plats d'or, des poteries, des paniers, des colliers de pierres bleues, des statuettes de bois...

Tom prend dans la barque une cruche en terre cuite :

– Regarde, Léa ! La cruche !

– Qu'est-ce qu'il y a dedans ?

Tom passe la main à l'intérieur.

– Je sens un tissu.

– L'étoffe pliée ! Sors-la vite, Tom !

Tom secoue la cruche. Il en tombe un long objet enveloppé dans un morceau de tissu. Tom le déballe avec précaution et découvre un rouleau.

– On dirait un vieux papier, constate Léa.

– C'est un papyrus, explique Tom. Les anciens Égyptiens fabriquaient le papyrus avec des roseaux.

– Il y a quelque chose d'écrit, dessus ?

Tom déroule soigneu-
sement le papyrus. Il est couvert
de magnifiques hiéroglyphes !
– Le Livre des Morts ! murmure Léa. Le
livre de la reine !

– Ça alors ! souffle Tom, impressionné.
– Reine Hutépi ! appelle Léa. On l'a trouvé !
On a trouvé votre Livre des Morts !
Pas de réponse.

– Reine Hutépi !

À l'autre bout de la salle, une porte s'entrouvre.

– Par là ! crie Léa. Elle est sûrement par là !

Un souffle d'air glacé se glisse par l'ouverture.

– On y va, décide Léa.

– Attends...

– Viens ! Ça fait mille ans qu'elle cherche son livre, on ne va pas l'obliger à attendre davantage !

Tom remballe le rouleau de papyrus dans le tissu et range le tout dans son sac. Puis les deux enfants se dirigent vers la porte entrebâillée. Léa la pousse et passe la tête. Elle remarque :

– C'est une autre salle. Elle est vide.

Ils entrent.

Il n'y a rien dans cette salle. Rien qu'un long coffre d'or, dont le couvercle est posé par terre.

– Reine Hutépi ? appelle Léa à mi-voix.
Silence.

– On l'a trouvé, votre Livre des Morts !
Aucune trace de la reine fantôme ! Le coffre
d'or luit doucement dans l'obscurité.
C'est certainement un sarcophage. Tom ne
se sent pas très bien, il a du mal à respirer.

– On n'a qu'à laisser le rouleau ici, pro-
pose-t-il.

– On devrait plutôt le poser là-bas, dit Léa.
Dans le coffre.

– Tu crois ?

– Mais oui ! De quoi tu as peur ?
Léa prend son frère par la main. Ils
s'avancent jusqu'au coffre doré. Ils se
penchent, et ils voient...

8

La momie

Une momie ! Une vraie !

Une momie enveloppée de bandelettes à demi défaites, découvrant un visage couleur de vieux parchemin. La bouche entrouverte montre des dents cassées. La peau est flétrie, le nez écrasé.

Les paupières sont fermées sur des orbites creuses.

C'est certainement elle ! C'est Hutépi, reine du Nil !

– Viens, Tom, balbutie Léa, subitement moins courageuse. On ne reste pas là !

– Une minute ! dit Tom.

Il sort le livre de son sac et le feuillette pour trouver le chapitre sur les momies. Il lit à haute voix :

Les anciens Égyptiens croyaient
que les morts avaient besoin de
leurs corps dans leur nouvelle vie.
Ils les embaumaient donc pour les
conserver. Les embaumeurs enlevaient
d'abord le cerveau par les narines.

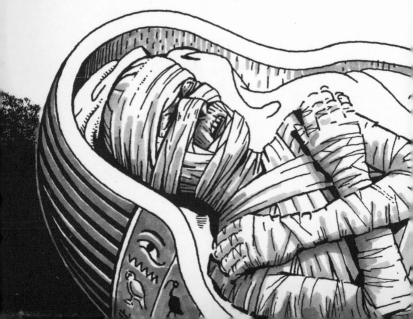

– Berk ! grimace Léa. C'est dégoûtant !
– Mais non, c'est intéressant. Écoute :

Ils retiraient ensuite les organes,
qu'ils plaçaient dans des vases.
Le corps était alors séché dans un
bain de sel, puis rembourré, recouvert
d'huile et enveloppé de bandelettes.

Léa est déjà à la porte. Elle lance :
– Tu restes avec ta momie si tu veux. Moi,
je m'en vais !
– Léa ! Attends ! On ne lui a pas donné le
Livre des Morts !
Mais Léa a disparu.
Tom fouille dans son sac.
Il en sort le sceptre et
le rouleau, qu'il dépose
dans le sarcophage.
Est-ce un effet de son
imagination ? Il lui

semble entendre un léger murmure. Et le visage de la momie paraît apaisé.

Tom s'en va sur la pointe des pieds en retenant son souffle. Il traverse la salle où ils ont découvert le bateau, il redescend les escaliers.

Arrivé en bas, il pousse un long soupir de soulagement. Il cherche sa sœur des yeux ; le corridor est vide.

– Léa ?

Pas de réponse.

« Où est-elle encore passée, celle-là ? » pense-t-il, agacé.

Il avance le long du couloir en appelant :

– Léa ? Tu es là ?

Serait-elle sortie de la pyramide ?

– Léa ?

Soudain, il entend au loin la voix de sa sœur :

– Tom ! Au secours !

Léa est en danger !

Tom s'élance dans la direction d'où vient
la voix.

– Au secours, Tom !

La voix est de plus en plus faible. Tom s'arrête. Il est parti dans le mauvais sens !

– Léa ! appelle-t-il en revenant vers la
chambre funéraire.

– Tom !

C'est par là !

Tom monte les
escaliers

quatre à quatre, il pénètre de nouveau dans la salle pleine de meubles. Il la parcourt du regard. Les instruments de musique, le bateau... Et, là, une autre porte !

Tom pousse le battant. Il se retrouve bientôt devant un escalier, exactement semblable au premier. Tom le descend. Il arrive dans un corridor éclairé par des torches. Un corridor exactement semblable à l'autre corridor...

– Léa !

– Tom ! Je suis là !

La petite fille court vers lui et se jette dans ses bras :

– Je me suis perdue !

Tom la serre très fort contre lui. Il a eu tellement peur ! Il prend quand même un ton sévère pour la gronder :

– Pourquoi es-tu partie sans m'attendre, aussi ? On n'est pas dans le bois de Belleville ! On est dans une pyramide ! Au temps

des anciens Égyptiens ! Et ça, c'est certainement un faux passage, construit pour égarer les pilleurs de tombes !

– Un faux passage ? répète Léa, encore toute tremblante.

– Oui. Il ressemble à celui qui mène dehors, mais c'est un faux ! On va retourner dans la salle au bateau. Et on retrouvera la bonne porte !

À cet instant, ils entendent un grincement. Ils se retournent.

Là, en haut des escaliers, ils voient avec horreur la porte tourner lentement sur ses gonds. Elle se referme avec un bruit sourd qui résonne longtemps dans les entrailles de la pyramide.

Et les torches s'éteignent d'un coup.

9

Prisonniers

Nuit noire !

– Qu'est-ce... qu'est-ce qui s'est passé ? balbutie Léa, terrifiée.

– Je ne sais pas. C'est bizarre... Il faut sortir de là ! Viens, on va essayer d'ouvrir la porte.

– Bonne idée, répond Léa d'une petite voix.

Ils remontent les escaliers à tâtons.

– Ne t'inquiète pas, dit Tom d'un ton aussi calme que possible. On y arrivera.

– Oui, on y arrivera, répète Léa.

En vérité, Tom n'est pas rassuré. Il repense à ce qu'il a lu dans le livre : les passages secrets servaient à empêcher les pilleurs d'entrer ou... de ressortir !

Ils appuient sur le battant de la porte et poussent. Elle ne bouge pas.

Ils poussent encore, de toutes leurs forces.

Ils s'arc-boutent contre le battant.

En vain.

Tom prend une grande inspiration. Il a l'impression de manquer d'air et son cœur bat si fort qu'il en tremble.

– Qu'est-ce qu'on va faire ? murmure Léa.

— On va... se reposer un instant, répond-il, à bout de souffle.

Il scrute les ténèbres avec angoisse. Dire que, tout à l'heure, il pensait qu'on ne pouvait pas être dévoré par une pyramide ! Les voilà enfermés comme dans le ventre d'une bête...

– On va redescendre et suivre le couloir, décide-t-il enfin. On trouvera peut-être une autre sortie.

Rien n'est moins certain ; mais ils n'ont guère le choix.

– Viens, on n'a qu'à se diriger en s'appuyant au mur.

Il pose sa main contre la pierre et commence à descendre, marche après marche. Léa le suit.

Ça y est, ils ont atteint le corridor !

Ils continuent d'avancer dans le noir sans lâcher le mur.

Un tournant. Puis des marches, de nouveau : un escalier qui remonte. Une porte. Elle est fermée. Impossible de l'ouvrir. Tom et Léa sont pris au piège !

Léa glisse sa main dans celle de son frère. Ils restent là, immobiles, en haut de l'escalier. Ils écoutent.

Quel silence ! Un silence de tombeau.

Soudain...

Miaou !

– Tu as entendu ? chuchote Tom.

– Le chat ! Il est revenu !

Miaou !

– Il s'éloigne ! crie Tom.

Vite, rattrapons-le !

Ils redescendent l'escalier. La main toujours appuyée au mur, ils longent le couloir à l'aveuglette, à la poursuite de l'invisible chat.

Miaou !

– Attends-nous, chat ! crie Léa.

Maintenant, le couloir descend doucement. Les enfants guettent les miaulements. Des courants d'air les font frissonner. Un tournant, un autre. Le couloir descend toujours.

Puis, tout au fond, comme à la sortie d'un tunnel, ils distinguent une lueur. Ils se mettent à courir comme des fous, et découvrent une fente entre les pierres. De l'autre côté, le soleil brille, si chaud, si lumineux !

Tom et Léa se faufilent dehors par l'étroite ouverture.

– On est sauvés ! s'exclame Léa en cabrio-
lant de joie.

Tom cligne des yeux, ébloui. Il reste pensif.

– Léa, dit-il, comment avons-nous réussi à
sortir d'un faux passage ? D'un piège pour
les voleurs ?

– C'est grâce au chat !

– Mais comment le chat connaissait-il le
chemin ?

– Il est peut-être magique !

Tom réfléchit, les sourcils froncés :

– Mais...

– Le chat ! l'interrompt Léa. Il est là-bas !

Le chat noir trotte dans le sable.

– Merci, chat ! lui lance Léa.

L'animal remue sa longue queue noire,
comme pour leur dire au revoir. Puis il
disparaît dans l'air surchauffé qui semble
vibrer.

Là-bas se dresse un bouquet de palmiers.
Et, tout en haut du plus haut palmier,

comme un nid, est
perchée la cabane.
Les deux enfants se
dirigent vers elle.
Le chemin est long
jusqu'aux palmiers.
Après la fraîcheur
de la pyramide, la
chaleur leur paraît
suffocante.
Enfin, ils arrivent au
pied du palmier. Léa saisit
l'échelle de corde et grimpe.
Tom la suit. Les revoilà dans
la cabane !
Tom cherche vite le livre
avec la photo de leur bois.
Il l'ouvre à la bonne page.
À cet instant, Léa se penche
à la fenêtre et pousse un cri :
– Regarde !

Tom se précipite.

Au loin, un bateau glisse sur le sable, comme s'il voguait sur la mer. Puis l'image tremble et s'efface. Était-ce un mirage ? Ou bien la belle Hutépi, la reine fantôme, a-t-elle commencé son long voyage vers l'au-delà ?

– Allez, Tom, murmure Léa. On rentre à la maison.

Tom pose son doigt sur la photo. Il déclare :

– On voudrait revenir dans le bois de Belleville !

Le vent se met à souffler, les feuilles du palmier bruissent.

Le vent souffle plus fort, encore plus fort. La cabane tourne, plus vite, de plus en plus vite. Elle tourbillonne comme une toupie folle.

Puis elle s'arrête. Plus rien ne bouge.

Quelque part, un oiseau chante.

10

Un nouvel indice

Les rayons du soleil de midi passent gaiement par la fenêtre. Les ombres des feuillages dansent sur les parois de la cabane. Tom est allongé sur le plancher. Il respire profondément.

Léa est déjà penchée à la fenêtre :

– C'est l'heure de rentrer à la maison. Je me demande ce que maman nous prépare pour le déjeuner !

Tom rit tout bas. Maison, maman, déjeuner... Que ces mots sont simples, rassurants !

– Purée-jambon, j'espère !

Il ferme les yeux. Il est merveilleusement bien, là, sur le plancher tiède qui sent bon le bois.

– Quel bazar, ici ! s'exclame Léa. On devrait peut-être mettre un peu d'ordre, au cas où M reviendrait !

M ! Tom l'a complètement oublié ! Rencontreront-ils un jour ce mystérieux M, le propriétaire des livres ?

– On n'a qu'à faire des tas, décide Léa. Je mets le livre sur l'Égypte à part.

– Bonne idée, approuve Tom.

Il n'a guère envie de visiter de sitôt une autre pyramide !

– Et le livre sur les dino-saures avec !

Tom est d'accord. Pas question de se trouver de nou-veau dans les pattes d'un tyrannosaure !

– Et le livre sur les châteaux forts par-dessus !

Tom sourit. Il aime l'image du chevalier galopant au clair de lune, sur la couverture du livre. Il lui semble que ce chevalier est un peu son ami.

– Tom ! crie soudain Léa. Regarde !

– Quoi ?

– Regarde, je te dis !

Tom se redresse en grommelant. Il s'approche de sa sœur et se penche vers ce qu'elle lui montre.

D'abord, il ne voit rien. Léa le tire par la main :

– Recule un peu, tu caches la lumière.

Tom s'écarte. Quelque chose est dessiné sur le plancher. Une lettre...

Un M ! Un grand M doré qui étincelle au soleil !

C'est la preuve que la cabane appartient à M, elle aussi !

Tom passe doucement son doigt sur la lettre scintillante et sent comme un pico-tement sur sa peau.

Un souffle de vent agite les feuilles.

– Allons-nous-en, décide Tom.

Il attrape son sac à dos. Il suit Léa, qui descend par l'échelle.

Au moment où il pose le pied dans l'herbe, il entend quelque chose remuer tout près, dans les buissons.

Il lance :

– Qui est là ?

Pas de réponse.

Tom déclare à haute voix :

– Je vais rapporter le médaillon ! Et aussi le marque-page ! Demain ! Promis !

– À qui tu parles ? s'étonne Léa.

– J'ai l'impression que M est par là, tout près, chuchote Tom.

Sa sœur ouvre de grands yeux :

– On devrait peut-être le chercher ?

La voix de leur mère s'élève alors au loin :

– Tom ! Léa !

C'est l'heure de rentrer. Les deux enfants soupirent.

– Demain ! décide Tom. On le cherchera demain.

– Oui, demain ! approuve Léa.

À suivre...

Imprimé en R.F.A par Clausen & Bosse
N° d'Éditeur: 7183

Collectionne tes *Indices*

Découvre qui est le mystérieux propriétaire
de la Cabane magique en complétant cette page
à chaque aventure de Tom et Léa.

La vallée des dinosaures

Le mystérieux chevalier

M É D A I L L O N ●
            ▲ *   ●

M A R Q U E ~ P A G E
            ■   +   ❖ +

1. Dessine l'indice et
écris son nom sur les traits.

Le secret de la pyramide

Le trésor des pirates

2. Reporte
ensuite les lettres
qui ont des signes.

L A F E
* ▲   +

R G A N E
□ ■ ❖ ▲ ● +

Découvre vite la suite
des aventures de Tom et Léa dans
Le trésor des pirates.

La Cabane magique

propulse

Tom et Léa

au temps des pirates

★ 3 ★
Trois hommes dans une barque

Léa fait la brave. Elle glousse :
– Des pirates ? Comme dans *Peter Pan* ? On va peut-être
rencontrer le capitaine Crochet ?
– Sauf qu'on n'est pas dans un dessin animé, grommelle Tom.
Il cherche la page où l'on voit le bateau sur la mer et
le perroquet perché dans le palmier. Il lit :

**Les pirates attaquaient les vaisseaux espagnols
qui transportaient de l'or dans la mer des Caraïbes.**

– Je vais noter ça !
Il prend son carnet et son stylo, et il écrit :

Des pirates dans les Caraïbes

Il tourne les pages du livre et découvre une image
représentant un drapeau pirate. Il lit :

**Le drapeau à tête de mort sur deux tibias croisés
était appelé « le Pavillon Noir ».**

– Si on rentrait à la maison ? propose Léa, d'une petite voix.

– Une minute, dit Tom. Je vais dessiner le drapeau dans mon carnet.

Sa sœur hausse les épaules :

– Prends au moins le vrai pour modèle, au lieu de recopier le dessin du livre !

Mais Tom remonte ses lunettes sur son nez et commence à griffonner.

– Tom, l'avertit Léa, des pirates sont en train de quitter le bateau ! Ils descendent dans une barque !

Le garçon continue de dessiner.

– Regarde !

Tom lève la tête. Il voit la barque se diriger vers le rivage. Il murmure :

– On ferait mieux de retourner à la cabane !

– Courons ! s'exclame Léa en partant à fond de train.

Tom saute sur ses pieds. Ses lunettes tombent dans le sable. Allons bon, où sont-elles ? Il s'accroupit, tâtonne autour de lui. Là ! voilà leurs montures qui brillent !

Tom ramasse ses lunettes, les remet sur son nez.

– Dépêche-toi ! crie Léa.

Il jette dans son sac son carnet et son stylo. Il met le sac sur son dos. Il attrape ses bottes et ses chaussettes. Et il s'élance.

– Tom ! Ils arrivent !

★ ★ ★ ★ ★ ★ ★ ★ ★ ★

Léa est en haut de l'échelle. Tom se retourne. La barque des pirates n'est plus qu'à quelques mètres du rivage. Soudain, Tom aperçoit le livre. Dans son affolement, il l'a oublié là-bas, sur le sable !

– Oh non !

Il laisse tomber ses bottes et ses chaussettes au pied du palmier, et il repart à toutes jambes.

– Tom ! crie Léa. Mais qu'est-ce que tu fabriques ?

– Je vais chercher le livre !

– Tu es complètement fou ! Reviens !

Tom est déjà au bord de l'eau. Il attrape le livre.

Tom le fourre dans son sac à dos. Au même moment, une grosse vague porte la barque en avant.

– Cours, Tom !

Les trois pirates sautent de la barque dans un grand bruit d'éclaboussures. Ils ont des couteaux entre les dents, des pistolets à la ceinture. Ils foncent sur Tom comme des vautours sur un poulet.

– Cours ! Mais cours ! s'affole Léa.

**Tom et Léa réussiront-ils
à échapper aux pirates ?**

**Trouveront-ils
un nouvel indice
sur le propriétaire de la cabane ?**

★ ★ ★ ★ ★ ★ ★ ★ ★ ★ ★

Si tu as envie de nous donner
tes impressions sur la série
ou nous parler de tes propres voyages
réels ou imaginaires,
n'hésite pas à nous écrire !

Bayard Éditions
Série Cabane Magique
3, rue Bayard
75008 Paris

N'oublie pas d'écrire
ton nom et ton adresse sur la lettre !